LEVEL 1

3

333

영어

도서 구성

333 영어는 3개 레벨, 90일의 커리큘럼으로 구성되어 있습니다.
밝고 통통 튀는 조정현 선생님의 강의와 함께 학습을 진행하시면 됩니다.

Level 1

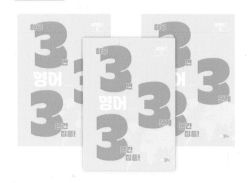

단어를 외우는 것만으로 자연스럽게 말하기는 어렵습니다. 외운 단어들이 어떤 상황에서 어떤 뉘앙스로 사용되는지를 정확히 알아야 비로소 말이 술술 나오게 됩니다. Level 1에서는 내가 아는 단어로 쉽게 말할 수 있는 문장들로 구성하여, 실생활에서 바로 사용할 수 있는 영어 회화 능력을 키울 수 있습니다.

Level 2

다 아는 단어인데 뜻이 전혀 다른 관용적 표현들이 있습니다. 이런 표현들만 잘 사용해도, 수준 높은 영어 회화가 가능합니다. Level 2는 다양한 관용적 표현을 활용해 쉽게 영어 수준을 높일 수 있는 문장들로 구성되어 있습니다.

Level 3

Level 3에서 소개하는 문장 30개만 잘 사용해도 영어 회화는 문제없습니다. 문장을 통째로 외우기는 쉽지 않지만, 외워야 할 때는 외워야 하죠. 효율적으로 외우면 부담도 훨씬 덜할 텐데요. Level 3는 사용 빈도가 높은 가성비 좋은 문장들을 선정하여, 영어 회화를 충분히 구사할 수 있도록 구성되어 있습니다.

목차

하루 3번, 각각의 다른 3가지 단계로 학습할 수 있도록 구성되어 있습니다.

🌅 아침

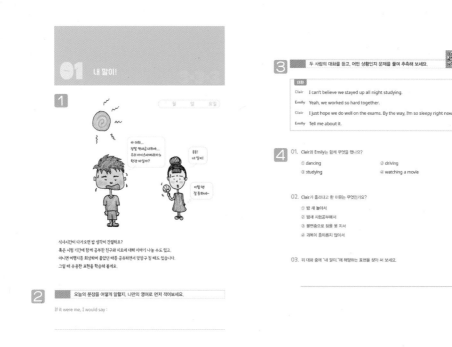

1️⃣ 오늘의 상황을 그림으로 이해하고, 오늘의 표현을 우리말로 먼저 확인합니다.

2️⃣ 나라면 이 상황에서 어떻게 영어로 말할 수 있을지, 내가 아는 영어로 나만의 문장을 적어 봅니다.

3️⃣ 오늘의 대화를 통해 오늘 배울 표현이 어떻게 쓰였는지 대화 속 영어 문장을 통해 확인합니다. QR코드를 통해 원어민의 음성을 듣고, 발음과 억양도 꼭 확인하세요.

4️⃣ 대화 속 상황을 잘 이해하였는지, 문제를 풀어보면서 확인합니다.

점심 　　　　　　　　　　　　 저녁

5 　　 오늘의 필수 어휘 및 표현을 확인해 보세요.

stay up all night : 밤을 새다
work hard : 열심히 (일) 하다
do well on ~ : ~을 잘 하다
sleepy : 졸린
tell : 말하다

6 　　 필수 어휘와 표현을 이용하여, 우리말에 맞게 영어 문장을 완성해 보세요.

① We 　　　　 studying.
공부하느라 밤을 샜어.

② I just hope we 　　　 on the exams.
난 그저 우리가 시험에서 잘 해내길 바랄 뿐이야.

③ By the way, I'm so 　　　 right now.
근데, 나 지금 너무 졸려.

7 　　 다음 문장을 3번 쓰고, 소리 내어 읽어 보세요.

Tell me about it.
내 말이.

①
②
③

8 〔꿀팁〕 Tell me. 자체로는 "말해봐."라는 뜻이지만,
Tell me about it.은 "내 말이, 내 말이 딱 그 말이야."라는 뜻이에요.

비슷한 표현 하나 더 소개해 볼게요.
You can say that again. 이 문장의 의미는 "너는 그것을 다시 말 할 수 있다."가 아닌,
Tell me about it. 처럼 "내 말이, 전적으로 동의해."라는 뜻입니다.

9 Tongue Twister 〔l〕 과 〔r〕 발음

Willies' really weary. 윌리스는 정말로 피곤해요[지쳤어요].
〔윌리스 리얼리 위어리〕

특히 l 과 r 발음에 주의해서 〔발음을 굴려〕 읽어 보세요.
rice (쌀) vs. lice 〔이, 친구]

5️⃣ 대화에서 등장한 필수 어휘와 표현을 확인해 보세요. 문장에서 쓰인 표현을 우리말로 확인해봅니다.

6️⃣ 필수 어휘와 표현을 잘 이해하였는지, 문제를 통해 정확한 사용법을 익힙니다. 수, 시제, 인칭 등의 변화에 주의하면서 문제를 풀어봅니다.

7️⃣ 오늘의 문장은 꼭 소리내서 읽고, 3번 써보세요. 눈으로, 손으로, 입으로 익히는 시간이 됩니다.

8️⃣ 알아두면 좋은 꿀팁을 정리하였습니다. 아~ 이런 표현도 있구나! 하고 확인해두면 좋을 것 같아요.

9️⃣ 차시를 마무리하며, 영어 발음에 도움이 되는 Tongue Twister 혹은 문법을 간단하고 쉽게 이해할 수 있도록 Grammar 등 다양한 코너를 준비하였습니다. 유용한 정보를 확인하며 학습을 마무리해 보세요.

학습 캘린더 학습을 마친 후, 학습 결과에 맞게 색칠해 보세요. 복습이 필요한 곳은 잊지 말고 복습을 진행해 주세요.

10 Days
Study
Calender

년   월   일

· 아침 학습
· 점심 학습
· 저녁 학습

영어 문장 _____

우리말 뜻 _____

년   월   일

· 아침 학습
· 점심 학습
· 저녁 학습

영어 문장 _____

우리말 뜻 _____

년   월   일

· 아침 학습
· 점심 학습
· 저녁 학습

영어 문장 _____

우리말 뜻 _____

년   월   일

· 아침 학습
· 점심 학습
· 저녁 학습

영어 문장 _____

우리말 뜻 _____

년   월   일

· 아침 학습
· 점심 학습
· 저녁 학습

영어 문장 _____

우리말 뜻 _____

년 월 일

· 아침 학습 😊 🙂 😣
· 점심 학습 😊 🙂 😣
· 저녁 학습 😊 🙂 😣

영어 문장 _____

우리말 뜻 _____

년 월 일

· 아침 학습 😊 🙂 😣
· 점심 학습 😊 🙂 😣
· 저녁 학습 😊 🙂 😣

영어 문장 _____

우리말 뜻 _____

년 월 일

· 아침 학습 😊 🙂 😣
· 점심 학습 😊 🙂 😣
· 저녁 학습 😊 🙂 😣

영어 문장 _____

우리말 뜻 _____

년 월 일

· 아침 학습 😊 🙂 😣
· 점심 학습 😊 🙂 😣
· 저녁 학습 😊 🙂 😣

영어 문장 _____

우리말 뜻 _____

년 월 일

· 아침 학습 😊 🙂 😣
· 점심 학습 😊 🙂 😣
· 저녁 학습 😊 🙂 😣

영어 문장 _____

우리말 뜻 _____

 웃는 얼굴 : 확실히 알아요.

 보통 얼굴 : 어느 정도 이해했어요.

 찡그린 얼굴 : 복습이 필요해요.

21 아, 스트레스 받네.

스트레스 없이 사는 사람이 과연 몇이나 될까요? 스트레스를 전혀 안 받을 수는 없겠죠.

미국 작가, Frank Long도 이런 말을 했습니다. Stress can actually help you focus better and can be positive. Having small amounts of stress can stimulate you to think. Being able to manage your stress is key. 스트레스의 긍정적인 영향을 바라보고, 스트레스를 잘 다루는 것이 중요하다는 거죠.

하.지.만! "스트레스를 받는다"는 말은 할 줄 알아야겠죠? (*해석은 p11 Wise Saying에서 확인하세요.)

오늘의 문장을 어떻게 말할지, 나만의 영어로 먼저 적어보세요.

If it were me, I would say :

_____

대화

A Hi, Lisa! How are you doing today?

B So-so, and you?

A I can't complain. By the way, what's eating you?

B Well, actually, I've had a lot on my plate.
   And even at home, housework is never-ending.

A You can say that again. I totally agree with you.

B I'm so stressed out. I think I need to find a way to manage this stress.

A Absolutely! If you need any help, just let me know, okay?

01. 다음 중, 위의 대화 내용과 일치하는 것을 고르세요.

① B는 체했다.

② A는 B의 집안일을 도왔다.

③ B는 스트레스 해소법을 찾으려 한다.

02. 대화 내용 중 I can't complain.을 대체할 수 있는 표현을 고르세요.

① I'm just fine.

② I'm under the weather.

③ I'm not feeling well.

03. B가 말한 I've had a lot on my plate.의 의미를 찾아보세요.

① 설거지 거리가 너무 많아.

② 아직 음식이 남았어.

③ 할 일이 산더미같이 많아.

- complain : 불평하다
- by the way : 그런데
- housework : 가사, 집안일 (household chores)
- agree with : ~에 동의하다
- manage : 관리하다, (어떻게든) 해내다

01. I can't _____ .

그럭저럭 지내. 별일 없어.

02. _____ is never-ending.

집안일은 끝이 없어.

03. I totally _____ you.

완전 동의해.

I'm so stressed out.

아, 스트레스 받네.

① _____

② _____

③ _____

꿀팁! "스트레스 받는다"는 표현을 추가로 알려 드릴게요.

- I feel stressed. (be 동사 대신 feel을 쓴 경우에요.)
- I'm under a lot of stress. 스트레스 아래에 있다!
  = I've been under a lot of stress.
- I can't handle the pressure. (handle 다루다, 처리하다   pressure 압박, 압력)
- It's stressful. (stressful 스트레스가 많은)

Wise Saying   스트레스 관련 명언

앞에서 소개한 미국 작가, Frank Long의 말을 해석하고, 소리 내어 읽어 보세요.

① Stress can actually help you focus better and can be positive.
스트레스는

② Having small amounts of stress can stimulate you to think.
약간의 스트레스는

③ Being able to manage your stress is key.
스트레스를

중요한 시험을 앞두고 열심히 공부 중이거나, 멋지고 건강한 몸을 위해 힘든 근력 운동 중,

또는 산 정상을 향해 등산을 하는 상대방에게 격려의 말을 해주는 거죠.

말의 힘이 정말 크기 때문에, 상대방은 힘이 더욱 날 겁니다.

또한 그런 좋은 영향을 준 나 자신도 기분 좋아지잖아요?

그런 의미로 응원의 메시지를 알아볼게요.

오늘의 문장을 어떻게 말할지, 나만의 영어로 먼저 적어보세요.

If it were me, I would say :

대화

A Wow, what a day! It was really tough.

B Cheer up. I know how hard it is.

A You know what? I just have a week until the exam.

B You're right, you're almost there. Hang in there!

A Thanks for having my back.

B My pleasure. I'm sure you're gonna make it.

01. 다음 중, 위의 대화 내용과 일치하지 않는 것을 고르세요.

① A는 허리가 아프다.

② A는 시험까지 한 주 남았다.

③ B는 A를 응원한다.

02. A가 What a day!라고 말한 이유로 적절한 것을 고르세요.

① 시험을 잘 봐서

② 힘든 하루여서

③ 긴장돼서

03. 다음 중, 응원하는 말이 아닌 것을 고르세요.

① You're almost there.

② Hang in there!

③ My pleasure.

· tough : 힘든
· until : ~까지
· hang in there : 버티다, 견뎌내다
· have one's back : 지지하다, 편이 되어 주다
· make it : 성공하다

필수 어휘와 표현을 이용하여, 우리말에 맞게 영어 문장을 완성해 보세요.

01. What a _____ day!

정말 힘든 날이었다!

02. I just have a week _____ the exam.

시험까지 한 주 남았어.

03. I'm sure you're gonna _____ _____.

넌 분명 해낼 거야.

Hang in there.

버티는 거야! 힘내!

① _____

② _____

③ _____

꿀팁! 대화 속 "응원의 말"들은 다음과 같았죠.

Cheer up. / You're almost there. / Hang in there. / You're gonna make it.

이밖에 응원할 때 쓸 수 있는 말을 더 알려 드릴게요.

- Go for it. 목표를 향해 나아가. 해 보는 거야! 힘 내!
- I'm rooting for you. (root for 응원하다)
- You're on the right track. 잘하고 있어요.

Grammar   until vs. by

대화 내용 중, I just have a week until the exam. "시험까지 한 주 남았어."라는 의미였죠?

이 문장에 until을 by와 구분해서 써야 합니다.

얼핏보면, until과 by는 "~까지"라는 동일한 의미를 가진 단어들처럼 보이지만, 뉘앙스에 차이가 있어요.

대표적인 예들로 이해를 도와드릴게요.

I'll stay here **until** tomorrow. 내일'까지' 여기에 (계속) 머물 거야.

I have to submit the report **by** tomorrow. 내일'까지' 보고서를 제출(완료)해야 해.

until은 '**계속 진행하고 있는**' 뉘앙스이고, by는 '**그 시점까지 딱! 완료**'한다는 뉘앙스를 가지게 됩니다.

내 마음을 딱 아네.

(월   일   요일)

말하지 않아도
내 마음을 딱 아네 ♥

우육탕면?

친한 친구사이나, 가족의 경우, 많은 설명을 하지 않아도 내 마음이 잘 통하는 경우가 많죠.

그래서 마치 텔레파시가 통한 것처럼 "내 마음을 잘 읽는다"고도 표현하잖아요?

영어로는 이 상황을 과연 어떻게 표현할 수 있을지 알아보도록 할까요?

오늘의 문장을 어떻게 말할지, 나만의 영어로 먼저 적어보세요.

If it were me, I would say :

다음 대화를 듣고, 어떤 상황인지 문제를 풀며 추측해 보세요.

> **대화**
>
> A Let's eat out for dinner tonight.
>   I heard that there's a new restaurant nearby.
>
> B Wow, you read my mind. Actually, I heard about the restaurant, too.
>
> A Oh, I'm glad we're on the same page.
>
> B Ditto. Shall we make a reservation for tonight, then?
>
> A I'll call the restaurant to see if we can go there without a reservation.
>
> B That's a good idea. I'm so excited to check out the new restaurant.

01. 다음 중, 위의 대화 내용과 일치하지 않는 것을 고르세요.

① A와 B는 저녁에 외식할 것이다.

② B는 새로운 식당에 가본적 있다.

③ A는 식당에 전화할 것이다.

02. A가 I'm glad we're on the same page.라고 한 이유는 무엇일까요?

① 같은 잡지를 보고 있어서

② B와 같은 마음이라서

③ 둘의 처지가 비슷해서

03. 다음 중, 다른 의미를 지닌 문장을 고르세요.

① Let's go to the new restaurant.

② Let's check out the new restaurant.

③ Let's check out tomorrow.

- eat out : 외식하다
- nearby : 가까이, 가까운 곳에
- be on the same page : 마음이 잘 맞다
- make a reservation : 예약하다
- check out : 확인하다, 살펴보다

필수 어휘와 표현을 이용하여, 우리말에 맞게 영어 문장을 완성해 보세요.

01. Let's _____ _____ for lunch today.

오늘 점심은 외식하자.

02. My car is parked _____ .

제 차는 근처에 주차되어 있어요.

03. I'd like to _____ a _____ for 2 at 6 o'clock tomorrow.

내일 6시에 두 명 예약하려고요.

You read my mind.
내 마음을 딱 아네.

① _____

② _____

③ _____

꿀팁! 대화 속, Ditto.는 "나도 그래.", "나도 마찬가지야."라는 뜻이죠.
이런 상황에서 우린 주로 Me too.를 습관적으로 많이 쓰는데,
이런 상황에서 쓸 수 있는 다양한 표현들을 좀 더 알려 드릴게요.

- Same here.
- Likewise.
- That makes two of us.

Comparison of words near vs. nearby

두 단어의 차이를 대표적인 예문을 통해 비교해 볼까요?

near In the near future~ 형용사 (시간적) 가까운 미래

The bus stop is near the station. 전치사 (장소) 가까운

My sister lives near. 부사 **가까이** (*잘 안쓰임)

nearby I live in a nearby city hall. 형용사 인근의, 가까운 곳의

There's a new restaurant nearby. 부사 가까이에

near과 nearby가 다양한 품사로 쓰인 대표적인 예문을 반복해서 읽으며 익혀 보세요!

월   일   요일

맛있는 음식, 흔하지 않은 음식은 한 번에 다 먹지 않고 일부러 조금이라도 남겨두어,
나중에 먹을 계획을 세우기도 하죠.
아니면, 정말 중요한 순간에 쓰려고 나의 '비장의 무기'로 아껴 두는 '능력'이나 '기술'이 있죠.
이러한 상황에서 쓸 수 있는 표현을 알아보겠습니다.

오늘의 문장을 어떻게 말할지, 나만의 영어로 먼저 적어보세요.

If it were me, I would say :

대화

A   I made this chocolate cake myself.

B   Oh, it looks delicious! Was that your first time baking a cake?

A   Yeah, so it took a long time to make it.

B   Wow! It looks great!

A   Why don't you try it?

B   I'd love to, but I have a checkup tomorrow. I'll save it for later!

A   No worries, I completely understand.

01. 다음 중, 위의 대화 내용과 일치하는 것을 고르세요.

① A는 케이크를 빨리 만들었다.

② A는 제빵사이다.

③ B는 건강검진을 받을 예정이다.

02. A가 말한 Why don't you try it? 대신에 쓸 수 있는 말을 고르세요.

① Would you like to have a taste?

② You have a taste for it.

③ You need to be tested.

03. B가 I'll save it for later!이라고 말한 이유는 무엇일까요?

① 돈을 아껴 쓰겠다는 뜻

② 병원에 갈 예정이라는 뜻

③ 나중에 먹을 테니 남겨두라는 뜻

- myself : 내가 직접, 나 스스로, 나 자신
- delicious : 맛있는
- try it : ~ (시도)해 보다
- checkup : 건강검진
- completely : 완전히, 전적으로

필수 어휘와 표현을 이용하여, 우리말에 맞게 영어 문장을 완성해 보세요.

01. I made this chocolate cake _____.

   이 초콜릿 케이크 내가 직접 만들었어.

02. Why don't you _____ _____?

   맛 좀 보겠어?

03. I have a _____ next month.

   다음 달에 건강검진이 있어.

I'll save it for later.

아껴 먹고 있는 거야. 아껴 놓는 거야.

① _____

② _____

③ _____

꿀팁! 맛있는 음식에 대해 묘사할 때, 대화 속 문장처럼, It looks delicious.라는 기본 문장도 좋죠.
하지만 그 외의 "맛있는"이라는 의미를 가진 표현들을 추가해 볼게요.

It looks + tasty 맛 좋은
savory 맛 좋은, 감칠맛 나는
appetizing 먹음직스러운
mouthwatering 군침이 돌게 하는, 먹음직스러운

Tongue Twister [f] [r] vs. [fr] [br] 발음 집중 연습

Fred **f**ed Ted **br**ead, and 프레드는 테드에게 빵을 먹였고,
[f뤠ㄷ f ㅔㄷ 테ㄷ 브뤠-덴]

Ted **f**ed **Fr**ed **br**ead. 테드는 프레드에게 빵을 먹였다.
[테ㄷ f ㅔㄷ f뤠ㄷ 브뤠ㄷ]

[f] [r] vs. [fr] [br] 발음에 집중해 보세요.
한글의 [프][레], [프르][브르]가 아닙니다!
[으] 발음을 빼는 연습을 해 보세요.

23

25 소~름~!

오싹한 이야기를 듣거나, 반대로 대단히 축하할 만한 기쁜 소식을 듣게 되는 경우,

"소름이 돋는다", "닭살 돋았다"는 말을 자주 하게 됩니다.

때로는 추운 날씨에도 그런 경우가 있죠. 이 밖에 다양한 상황에서 자주 쓰이는 표현이죠.

영어 표현으로도 알아보도록 할까요?

오늘의 문장을 어떻게 말할지, 나만의 영어로 먼저 적어보세요.

If it were me, I would say :

대화

A Have you seen the latest horror movie?

B No, I haven't seen it yet. Honestly, I can't watch horror movies.

A Neither can I. But this time, I got a free ticket, so I went and watched it.

B How was the movie? Was it good?

A Actually, it was so creepy. Now I get surprised when I hear someone knock on the door.

B Oh no... I've got goosebumps.

A Same here. I'm never gonna watch horror films ever again.

---

01. 다음 중, 위의 대화 내용과 일치하는 것을 고르세요.

① A는 공포 영화를 좋아한다.

② A에겐 공짜표가 있었다.

③ A는 앞으로 공포 영화를 볼 것이다.

02. B가 말한 How was the movie? 대신에 쓸 수 있는 말을 고르세요.

① How would you like it?

② How did you like it?

③ How are they?

03. A가 말한 Neither can I.를 통해 추론할 수 있는 것을 고르세요.

① A는 영화보는 것을 싫어한다.

② A는 공포 영화를 잘 못 본다.

③ A는 공포 영화 광이다.

- latest : 최근의
- free ticket : 무료 입장표, 무료 입장권
- creepy : 오싹하게 하는, 으스스한
- knock : 두드리다, 노크하다
- goosebump(s) : 소름, 닭살

필수 어휘와 표현을 이용하여, 우리말에 맞게 영어 문장을 완성해 보세요.

01. Have you heard about her _____ novel?

그녀의 최근 소설에 대해 들어봤니?

02. It was a _____ story.

오싹한 이야기였어.

03. I heard someone _____ at the door.

나는 누군가가 문을 두드리는 소리를 들었다.

I've got goosebumps.

소~름~! 닭살 돋았어!

① _____

② _____

③ _____

꿀팁! 이렇게 "소름 돋았다"는 말로 I've got goosebumps.를 잘 익혀 보셨죠?
문법적으로 조금 더 들여다보면, 현재완료 [have + p.p.] 시제를 활용한 문장입니다.
물론, 다른 시제를 활용할 수도 있어요.

예 I **got** goosebumps. (과거)

I **feel[get]** goosebumps. (현재)

I**'m getting** goosebumps. (현재 진행)

모두 '소름 돋는 상황'에 대한 묘사입니다.

Comparison of words late vs. lately vs. latest

각 어휘의 정확한 의미와 용법을 이해해 볼까요 ?

* late – I was <u>late</u> for work. 형용사 늦은

– I stayed up <u>late</u> last night. 부사 늦게

* lately – I've been busy <u>lately</u>. 부사 최근에

* latest – Have you read his <u>latest</u> book? 형용사 가장 최신의

– Have you heard the <u>latest</u>? 대명사 가장 최근의 것

헷갈리기 쉬운 어휘들이죠? 철자와 발음, 용법에 꼭 주의해 주세요.

26 내가 할게.

그룹 과제를 해 본 경험을 떠올려 보세요. 학교나 직장에서 만이 아니라,

가정에서도 경험합니다. 하나의 목적을 두고 여러 명이 세부적 역할 분담을 하게 되죠.

그렇게 일을 나누어 맡게 될 때, "내가 할게!", "그건 제가 할 수 있어요!"라고 말한다면,

훨씬 믿음직스러워 보이겠죠? 이 말은 영어로 어떻게 말할까요?

오늘의 문장을 어떻게 말할지, 나만의 영어로 먼저 적어보세요.

If it were me, I would say :

대화

A   I think our group assignment is too hard, isn't it?

B   Yeah, you can say that. The topic is too abstract.

A   You're right. And even the deadline is tight.

B   That's true, but what can we do? Let's try anyway.

A   Good. First, I'll collect the data we need.

B   Oh, there must be a lot of data. Is that okay?

A   Don't worry! I can handle it.

01. 다음 중, 위의 대화 내용과 일치하는 것을 고르세요.

① A와 B는 자료 수집을 함께 할 것이다.

② 주어진 과제가 다소 쉽다.

③ 마감 일정이 빠듯하다.

02. A가 말한 but what can we do?의 의미로 적절한 것을 고르세요.

① 뭐부터 할까?

② 지금이라도 포기하자.

③ 뭘 어쩌겠어, 해야지.

03. 다음 중 I can handle it. 대신 올 수 있는 문장을 고르세요.

① I'll take care of it.

② I can drive a car.

③ I was behind the wheel.

- assignment : 과제
- abstract : 추상적인
- tight : 꽉 조여있는, 빠듯한
- collect : 모으다, 수집하다
- There must be ~ : ~임에 틀림없다, 분명 ~일 것이다

보기의 표현을 활용하여, 우리말에 맞게 영어 문장을 완성해 보세요.

보기
There must be ~

01. _____ _____ a way.

분명, 방법이 있을 거야.

02. _____ _____ something more.

뭔가 더 있음에 틀림없어.

03. _____ _____ a lot of data.

자료가 많이 있을 거야.

I can handle it.
내가 할게.

① _____

② _____

③ _____

꿀팁! 이처럼, I can handle it.은 기꺼이 내가 그 일을 맡아서 하겠다는 의미를 나타냅니다.
하지만, 다른 의미로도 쓰일 수 있죠.
예를 들어, 내가 어떤 일을 처리하고 있는데, 타인이 자꾸만 간섭하고 방해를 하는 것 같을
때에도 I can handle it.이라고 할 수 있어요.
이 때는 "상관하지 마.", "내가 알아서 할 테니 신경 쓰지 마요."라는 뼈 있는 말이 되는 것
이죠.

Broken English handle 핸들?

I can handle it.에서 handle을 보고, 혹시 자동차 핸들을 떠올리진 않으셨나요?
자동차 핸들(운전대)은 영어로, (steering) wheel이라고 합니다. 콩글리시이니 주의해야 해요.
또한, I can handle it.에서의 handle은 **동사**로 쓰였습니다. **"다루다, 처리하다"**의 의미인 것이죠. 같은 의
미로 deal with가 있습니다.
handle이 **명사**로 쓰일 수도 있습니다. 그땐, **"손잡이"**라는 의미로 주로 쓰입니다. 문 손잡이나 도구의 손잡
이를 일컫는 말인 거죠.
handle에 대한 이해가 더 잘 되셨죠?

고민거리가 가득할 때나, 부담스러운 일이 많을 때, 가까운 사람에게 좋지 않은 일이 있을 때,

마음이 좋지 않죠? 마음이 힘들어지곤 합니다.

"마음이 힘들다", "마음이 무겁다"는 말을 영어로 어떻게 표현하는지 알아볼게요.

오늘의 문장을 어떻게 말할지, 나만의 영어로 먼저 적어보세요.

If it were me, I would say :

대화

A Is everything all right? You don't look well.

B Oh yeah? My heart is heavy.

A Is there something wrong?

B I had an argument with my wife a few days ago. But it was just a little thing.

A Hey, what did you do wrong this time?

B It was just a joke. I called her a piggy just once. And I like pigs.

A No way! Come on, wake up and say sorry to her sincerely before it's too late.

01. 다음 중, 위의 대화 내용과 일치하지 않는 것을 고르세요.

① B는 이런 일을 처음 겪었다.

② B는 아내와 다퉜다.

③ B는 기분이 별로이다.

02. 다음 중, "며칠 전에"라는 표현을 고르세요.

① just a little thing

② a few days ago

③ just once

03. 다음 중 No way! 의미로 가장 적절한 것을 고르세요.

① 어쩔 수 없네.

② 농담이야.

③ 말도 안돼.

heavy : 무거운
argument : 논쟁, 말다툼
a few days ago : 며칠 전에, 수일 전에
joke : 농담
sincerely : 진심으로

필수 어휘와 표현을 이용하여, 우리말에 맞게 영어 문장을 완성해 보세요.

01. My heart is _____.

마음이 무거워.

02. I had an _____ with her.

난 그녀와 말다툼을 했어.

03. It was just a _____.

그냥 농담이었어.

My heart is heavy.
마음이 힘들어. 마음이 무거워.

① _____

② _____

③ _____

꿀팁! "아내와 며칠 전에 말다툼을 했어"라는 말을 어떻게 했죠?

I had an argument with my wife a few days ago.라고 했습니다.

여기서 "말다툼하다"에 해당하는 부분은 바로, have an argument라는 부분이죠.

또 다른 표현으로 argue with someone, quarrel with someone도 있어요.

여기서의 argue와 quarrel의 의미가 "언쟁하다, 다투다"이기 때문이죠.

Grammar few(little) vs. a few(a little)

"며칠 전에"를 a few days ago라고 표현했던 것 기억하시죠?

여기서 a few와 함께 헷갈리기 쉬운 표현으로 자주 등장하는 few, a little, little을 구분해야 합니다.

a few와 few부터 살펴볼게요.

* a few 몇몇, 몇 개의 ➡ I bought a few things. 몇 가지 물건들을 샀어요. (긍정의미)

  few 거의 없는 ➡ I bought few things. 물건들을 거의 사지 않았어요 (부정의미)

그럼 a little과 little도 비교해 볼까요?

* a little 약간의 ➡ I have a little money. 저에겐 돈이 좀 있어요. (긍정의미)

  little 거의 없는 ➡ I have little money. 저에겐 돈이 거의 없어요. (부정의미)

이렇게 'a'의 유무에 따라 각각 긍정과 부정의 의미가 되고,

a few와 few는 **셀 수 있는 명사**, a little과 little은 **셀 수 없는 명사**와 함께 쓴다는 점을 꼭 기억하세요!

28 우린 만날 운명이었어.

잘 어울리는 한 쌍의 연인이나 부부를 보면, 직접 이렇게 말하는 경우가 있습니다.

"우린 만날 운명이었지.", "우린 천생연분이야."

서로 잘 맞는다고 한 번도 싸우지 않는 커플은 없겠죠.

다툴 일이 있더라도, 화해를 잘 하는 커플이 이상적일 겁니다.

소중한 짝꿍을 떠올리시면서 "우린 만날 운명이었어!"라는 영어 표현을 알아볼까요?

오늘의 문장을 어떻게 말할지, 나만의 영어로 먼저 적어보세요.

If it were me, I would say :

대화

A Hey, look at this picture. Do you remember this?

B Wow, that takes me back. I think it was about 10 years ago.

A You're right. I never imagined we'd get married back then.

B Really? Now, how do you feel living together with me?

A Honestly, I think we were meant to be.

B I've always felt that too. I'm sure we were made for each other.

A Lovely! You mean the world to me.

01. 다음 중, 위의 대화 내용과 일치하는 것을 고르세요.

① A와 B는 결혼한 커플이다.

② A는 B에게 불만이다.

③ B는 A에게 서운해 한다.

02. 다음 중, That takes me back.을 대체할 수 있는 표현을 고르세요.

① It brings back memories.

② Take me back.

③ I'll be back in a little while.

03. 위 대화 중 언급된, "우린 정말 잘 어울린다."는 말을 모두 고르세요.

① I never imagined we'd get married back then.

② We were meant to be.

③ We were made for each other.

- look at : 보다
- get married : 결혼하다
- We were meant to be : 우린 맺어질 운명이었다
- I'm sure ~ : 확신하다
- each other : 서로

필수 어휘와 표현을 이용하여, 우리말에 맞게 영어 문장을 완성해 보세요.

01. _____ _____ this picture.

이 사진 좀 봐.

02. I never imagined we'd _____ _____ back then.

그땐 우리가 결혼할 거란 걸 전혀 생각지도 못했어.

03. _____ _____ we were made for _____ _____.

난 우리가 천생연분이란 걸 확신해.

We were meant to be.

우린 만날 운명이었어. 천생연분이야.

① _____

② _____

③ _____

꿀팁! We were meant to be. 외에도 We were made for each other.라는 문장도 같은 뜻이었죠.
또 다른 표현으로는, 직역해서 "우린 하늘에서 만들어진 짝"이라는 뜻으로
We are a match made in heaven.이라는 표현도 잘 쓰여요.
그냥 친구들끼리의 잘 어울림이 아닌, 커플일 경우에 쓰이는 말입니다.

Tongue Twister [g] vs. [k] 발음 집중 연습

The big black bug bit the big black bear. 커다란 검은색 벌레가 흑곰을 물었다.
[더비ㄱ 블래ㅋ 버-ㄱ 비ㅌ 더비ㄱ 블래ㅋ 베어r]

but the big black bear bit the big black bug back. 하지만 커다란 흑곰은 그 큰 검은색 벌레를 되물었다.
[벝더 비ㄱ 블래ㅋ 베어r 비ㅌ더 비ㄱ 블래ㅋ 버-ㄱ 배-ㅋ]

big, bug의 끝소리 [g],
black, back의 끝소리 [k]에 더욱 신경 써서 연습해 주세요.

29. 거의 다 왔어.

여행 가는 길, 예를 들어 자동차 뒷좌석에 앉은 사람은 "도착하려면 아직 멀었어요?"라고들 말하죠?
그럴 때, "거의 다 왔어." 라고들 하는데, 그 말을 영어로 어떻게 말할 수 있을까요?
또한, 그 말을 또 다른 상황에서도 쓰일 수 있는데, 어떤 상황일지 알아볼게요.

오늘의 문장을 어떻게 말할지, 나만의 영어로 먼저 적어보세요.

If it were me, I would say :

대화

A Are we there yet? I'm getting tired.

B Just a little more to go. We're almost there.

A I'm glad to hear that. Actually, I don't know why I have to go to the top.

B Ha-ha! I bet you can enjoy the breathtaking view from there.

A "No pain, no gain." You always say that.

B But that's true. And you're doing great. Keep it up.

A All right. By the way, just let me take a sip of water.

01. 다음 중, 위의 대화 내용을 통해 추론할 수 있는 것을 고르세요.

① 두 사람은 하산중이다.

② A의 취미는 등산이다.

③ A는 물을 마실 것이다.

02. 속담 No pain, no gain.을 대체할 수 있는 표현을 고르세요.

① You're adding fuel to the fire.

② Your life is hanging by a thread.

③ You can't get something for nothing.

03. 대화 중 들린, "거의 다 왔어.", "힘내."에 해당하는 표현을 모두 고르세요.

① We're almost there.

② You always say that.

③ Keep it up.

· bet : 단언하다, 틀림없다
· breathtaking : (아름다움에) 숨이 멎는 듯한
· view : 경치, 전망
· keep something up : ～을 계속하다
· sip : 한 모금 / 홀짝이다

필수 어휘와 표현을 이용하여, 우리말에 맞게 영어 문장을 완성해 보세요.

01. I _____ you can enjoy it.

틀림없이 즐길 수 있을 거예요.

02. What a _____ !

얼마나 숨 막히게 아름다운 경치인가!

03. Let me take a _____ of water.

물 한 모금 좀 마실게요.

We're almost there.
거의 다 왔어. 힘내.

① _____

② _____

③ _____

꿀팁! 대화 내용처럼, 거리가 얼마 남지 않았으니 "거의 다왔다"라는 의미로도 쓰이며,
추상적인 의미로, 목표한 꿈이나, 어렵고 힘든 과제가 거의 마무리 단계이니 "힘내"라는
의미로도 쓰입니다. We're almost there. 어렵지 않죠?
덩달아, Keep it up.도 자주 쓰입니다. "계속 그 기세로 밀고 나가"라는 의미인 것이죠.
또한, Cheer up, Hang in there.도 필수적인 격려 표현이니 꼭 기억해 보세요.

Tongue Twister [s] vs. [ʃ] 발음 집중 연습

We surely shall see the sun shine soon. 우린 반드시 곧 태양이 빛나는 것을 볼 것이다.
[위 셜리 셰을 씨 더 썬– 샤–인 쑤운–]

특히, [s] vs. [ʃ] 소리를 신경 써서 연습해 주세요.
한국어의 'ㅅ' (시옷) 발음과 확실히 다릅니다.
또한 soon의 모음은 장음으로, 길–게 발음해야 해요.

예상치 못한 일에 너무나 놀라서 말문이 막힌 경험을 해보셨나요?

저는 주로, 너무 화가 나거나 놀랐을 때, 말이 안 나오는 경험을 해봤습니다.

그럴 때, "기가 막힌다", "어안이 벙벙하다", "말문이 막힌다"등의 말로 표현하곤 하는데요.

영어 표현으로 무엇이 적절한지 알려 드릴게요.

오늘의 문장을 어떻게 말할지, 나만의 영어로 먼저 적어보세요.

If it were me, I would say :

대화

A Oh, no. I can't believe I got 20 points on the math exam. I'm speechless.

B Are you kidding me? You've always got more than 90 points.

A Yeah, I need to check it out again.

B Maybe, there might have been a technical error.

A Right. I'll ask the teacher about this situation.

B Good idea. Let me know.

A Certainly!

01. 다음 중, 위의 대화 내용을 통해 추론할 수 없는 것을 고르세요.

  ① B는 수학을 잘한다.

  ② A는 선생님께 여쭤볼 것이다.

  ③ A는 그동안 수학 점수가 높았다.

02. I need to check it out again. 대신 올 수 있는 문장을 고르세요.

  ① I need to check the answers again.

  ② I need to confirm the reservation.

  ③ I need to check the printer.

03. There might have been a technical error.의 error 대신 올 수 있는 표현을 고르세요.

  ① foul

  ② problem

  ③ skill

- speechless : 말을 못 하는
- check something out : ~을 확인하다, 살펴보다
- technical : 기술적인
- error : 실수, 오류, 잘못
- reason : 이유

필수 어휘와 표현을 이용하여, 우리말에 맞게 영어 문장을 완성해 보세요.

01. Let me _____ them _____.

    제가 그것들을 확인해 볼게요.

02. There is a _____ _____.

    기술적인 문제가 있군요.

03. I need to find out the _____.

    저는 그 이유를 밝혀내야 해요.

I'm speechless.
어안이 벙벙하네. 무슨 말을 해야 할지 모르겠네.

① _____

② _____

③ _____

꿀팁! I'm speechless.의 의미에 대해 조금 더 설명해 볼게요.
긍정적인 상황 및 부정적인 상황에서 다 쓰일 수 있는 표현이긴 하지만,
우리는 주로 부정적인 상황에서 어이를 상실하는 경우가 많다 보니,
실질적으로 **부정적인 맥락**에서 조금 더 쓰이는 경향이 있습니다.
대신, I don't know what to say. "무슨 말을 해야 할지 모르겠네."라는 문장은
긍정적인 상황과 부정적인 상황에서 사용되는 빈도가 꽤 균형을 이루고 있죠.

Grammatical Structure may ~일지도 모른다

There may have been a technical error. 이 문장의 정확한 의미는 무엇일까요?
우선, 조동사 may는 **불확실한 추측을 하는 조동사**라는 것을 알아야 합니다.
"~일지도 모른다", "~일 수도 있다"의 의미를 갖죠.
그리고 위의 문장에서 may have been이라는 [may have p.p.] 구조를 봐 주세요.
may 본연의 의미를 여전히 담고 있기 때문에 해석에 큰 어려움은 없어요. "기술적인 문제가 있었을지도 몰라요."가 됩니다.
여기서 만약 may의 과거동사인 might로 바꾼다면? "(어쩌면 조금이나마) 기술적인 문제가 있었을지도 몰라요."가 됩니다.

Ⓐ Why did the bicycle fall over?
Ⓑ Because it was two-tired!

Ⓐ 자전거가 왜 넘어졌을까?
Ⓑ Too tired 해서!

정답 / 해설

21 아, 스트레스 받네.

대화

A: 안녕, 리사! 오늘 어때?

B: 그럭저럭. 너는?

A: 나쁘지 않아. 그런데, 너 무슨 고민 있어?

B: 사실, 할 일이 너무 많아. 집에서도 집안일이 끝이 없어.

A: 맞아, 정말 그래. 동의해.

B: 너무 스트레스 받아. 이 스트레스를 어떻게 관리해야 할지 모르겠어.

A: 맞아, 정말 그래! 도움이 필요하면 언제든 말해, 알았지?

01 I've had a lot on my plate. Housework is never-ending. I'm so stressed out.이라는 문장을 보아 스트레스가 많다는 걸 알 수 있고, I think I need to find a way to manage this stress. 스트레스를 해소할 방법을 찾고자 함을 알 수 있다.

02 I can't complain. "불평할 수 없다"는 말이므로 I'm just fine.과 같다.

03 접시 위에 무엇인가 많이 쌓여 있는 것을 일로 보면, 일거리가 많다는 의미이다.

정답 p98   01 ③   02 ①   03 ③

  p99   01 complain   02 Housework   03 agree with

22 버티는 거야.

대화

A: 와, 오늘 정말 힘든 하루였어.

B: 힘내. 얼마나 힘든지 알아.

A: 있잖아, 이제 시험까지 일주일 남았어.

B: 맞아, 거의 다 왔어. 조금만 더 버텨!

A: 응원해줘서 고마워.

B: 천만에. 분명히 넌 잘 해낼 거야.

01 I just have a week until the exam. "시험까지 일주일 남았다."고 하자, B가 You're almost there. Hang in there!이라고 응원해 주고 있다.

02 What a day! "힘든 날이었다"는 말이다.

03 My pleasure.은 "천만에. 별 말씀을."이란 뜻으로 응원의 말이 아니다.

정답 p102   01 ①   02 ②   03 ③

  p103   01 tough   02 until   03 make it

23 내 마음을 딱 아네.

대화

A: 오늘 저녁 외식하자. 근처에 새로 생긴 식당이 있다고 들었어.

B: 와, 내 마음을 딱 읽었네. 사실 나도 그 식당에 대해 들었어거든.

A: 우리가 같은 생각을 해서 기쁘다.

B: 나도 그래. 그럼 오늘 저녁 예약할까?

A: 예약 없이 갈 수 있는지 식당에 전화해볼게.

B: 좋은 생각이야. 새 식당 가보는 거 정말 기대된다.

01 새로 생긴 음식점에 대해 대화를 하고 있으며 둘 다 가보진 않은 상태로, Shall we make a reservation for tonight? 오늘 밤으로 예약할지를 물어봤고, 예약 없이 갈 수 있는지 확인하겠다고 했으므로 정답은 ②이다

02 같은 페이지에 있다는 말은 곧, 같은 마음이라는 것을 의미한다.

03 ③번의 Let's check out tomorrow.는 "내일 체크아웃하자."라고만 볼 수 있으므로 다른 의미를 지니고 있다.

정답 (p106) 01 ② 02 ② 03 ③

(p107) 01 eat out 02 nearby 03 make | reservation

24 아껴 먹고 있는 거야.

대화

A: 이 초콜릿 케이크 내가 직접 만들었어.

B: 와, 정말 맛있어 보여! 케이크 처음 만들어본 거야?

A: 응, 그래서 만드는 데 시간이 오래 걸렸어.

B: 대단해! 정말 잘 만들었어.

A: 한번 먹어볼래?

B: 먹고 싶은데, 내일 건강검진이 있어서 나중에 먹을게!

A: 알겠어, 완전 이해해.

01 B가 I have a checkup tomorrow. "내일 건강검진이 있어."라고 했으므로 정답은 ③이다.

02 대화의 내용에서 try it은 케이크를 맛 보라는 말이다.

03 I'll save it for later!에서 save는 "저장하다, 저축하다, 절약하다"라는 의미이므로 나중을 위해 남겨두겠다는 뜻이다.

정답 (p110) 01 ③ 02 ① 03 ③

(p111) 01 myself 02 try it 03 checkup

25 소~름~!

대화

A: 최신 공포 영화 봤어?

B: 아니, 아직 못 봤어. 솔직히 공포 영화 못 봐.

A: 나도 못 봐. 그런데 이번에는 무료 티켓이 있어서 보게 됐어.

B: 영화 어땠어? 괜찮았어?

A: 사실 너무 소름끼쳤어. 지금은 누가 문 두드리는 소리만 들어도 놀라.

B: 오, 안돼… 소름 돋았어.

A: 나도 그래. 다시는 공포 영화 안 볼 거야.

01 I can't watch horror movies.라고 했고, Neither can I.라고 했으므로 둘 다 공포 영화를 못 본다. 하지만 A는 I got a free ticket. 공짜표가 있었다.

02 영화가 어땠는지 소감을 묻는 말로 How was the movie? How did you like it?이라고 할 수 있다.

03 Neither can I.를 풀어서 보면, I can't watch horror movies.와도 같으므로 정답은 ②이다.

정답 p114 01 ② 02 ② 03 ②

p115 01 latest 02 creepy 03 knock 또는 knocking

26 내가 할게.

대화

A: 우리 조별 과제 너무 어렵지 않아?

B: 응, 맞아. 주제가 너무 추상적이야.

A: 맞아. 게다가 마감일도 촉박해.

B: 그렇지만 어쩔 수 없지. 그래도 해보자.

A: 좋아. 먼저 필요한 자료를 모을게.

B: 자료가 많을 텐데, 괜찮겠어?

A: 걱정 마! 내가 할 수 있어.

01 A가 I'll collect the date we need.에 이어 I can handle it.이라고 했으므로 A가 자료 수집을 하겠다는 말이며, Out group assignment is too hard.은 그룹과제가 너무 어렵다는 말이다. And even the deadline is tight.는 마감일도 빠듯하다는 말이다.

02 What can we do? "우리가 무엇을 할 수 있겠어?"라는 의미로 "그냥 해야지 어쩌겠어."가 함축되어 있다.

03 I can handle it. "내가 그걸 다룰 수 있다"는 말은 곧, I'll take care of it.으로 대체 가능하다.

정답 p118 01 ③ 02 ③ 03 ①

p119 01 There must be 02 There must be 03 There must be

27 마음이 힘들어.

대화

A: 무슨 일 있어? 안 좋아 보여.

B: 그래 보여? 마음이 좀 무거워.

A: 무슨 일 있어?

B: 며칠 전에 아내와 다퉜어. 그냥 사소한 일이었어.

A: 이번엔 또 뭘 잘못했어?

B: 그냥 농담으로 한 번 돼지라고 불렀어. 난 돼지를 좋아하거든.

A: 말도 안 돼! 어서 가서 진심으로 사과해. 늦기 전에.

01 B의 말 I had an argument with my wife.은 아내와 다퉜다는 말이고. A의 What did you do wrong this time?이라는 질문을 보아 다툰 것이 처음이 아닌 걸 짐작할 수 있다. B의 감정상태는 My heart is heavy.라고 했으므로 마음이 무겁고 별로인 상태이다.

02 ① 사소한 것 ③ 딱 한 번

03 "말도 안돼"라는 의미로 No way!를 자주 쓴다.

정답   **p122** 01 ① 02 ② 03 ③

p123 01 heavy 02 argument 03 joke

28 우린 만날 운명이었어.

대화

A: 이 사진 봐봐. 기억나?

B: 와, 추억 돋는다. 한 10년 전쯤인 것 같아.

A: 맞아. 그때 우리가 결혼할 줄은 몰랐어.

B: 정말? 이제 나랑 사는 게 어떤데?

A: 솔직히, 우린 운명인 것 같아.

B: 나도 항상 그렇게 느꼈어. 우리는 서로를 위해 태어난 것 같아.

A: 사랑스러워! 너는 내 전부야.

01 I never imagined we'd get married back then. "그땐 우리가 결혼할 거라고 절대 예상하지 못했다"는 말로 결혼한 커플임을 알 수 있다.

02 That takes me back. "그게 날 (과거로) 되돌이킨다."는 뜻으로 과거의 기억을 상기시킨다는 말이다.
② 날 다시 데려다줘.

03 서로 잘 어울린다. 우린 서로를 위해 만들어진 존재다. 우린 서로를 위해 의도된 것과도 같으므로 ②, ③이 모두 답이다.

정답 **p126** 01 ① 02 ① 03 ②, ③

p127 01 Look at 02 get married 03 I'm sure | each other

29 거의 다 왔어.

> **대화**
>
> A: 아직 멀었나? 점점 피곤해.
>
> B: 조금만 더 가면 돼. 거의 다 왔어.
>
> A: 그 말 들으니 기쁘다. 사실 꼭 정상까지 가야 하는지 모르겠어.
>
> B: 하하! 거기서 멋진 경치를 볼 수 있을 거야.
>
> A: "고생 끝에 낙이 온다." 너 항상 그렇게 말하잖아.
>
> B: 그건 사실이야. 넌 잘하고 있어. 계속 힘내.
>
> A: 알겠어. 근데 잠깐 물 한 모금 마시자.

01 A는 I don't know why I have to go to the top.이라고 했으니 등산을 좋아하지 않는다는 것을 알 수 있고,
    마지막에 Let me take a sip of water.는 물 한 모금 마시겠다는 말이다.

02 ① 불난 집에 부채질 한다 ② 당신의 인생이 위태롭다 ④ 고진감래 (공짜로 뭔가를 얻을 순 없다)

03 목표지점. 목적지에 거의 다 왔다는 말이므로 ① We're almost there.이 정답이다.

정답 (p130) 01 ③   02 ③   03 ①, ③

(p131) 01 bet   02 breathtaking view   03 sip

3〇 어안이 벙벙하네.

> **대화**
>
> A: 아, 안돼. 수학 시험에서 20점 받았어. 말이 안 나와.
>
> B: 농담하지 마. 너 항상 90점 넘게 받잖아.
>
> A: 맞아, 다시 확인해봐야겠어.
>
> B: 아마 기술적 오류가 있었을지도 몰라.
>
> A: 맞아. 선생님께 이 상황에 대해 물어볼게.
>
> B: 좋은 생각이야. 이유 알게 되면 알려줘.
>
> A: 물론이지!

01 B의 말 You've always got more than 90 points.를 토대로 A가 그동안 수학을 잘했다는 걸 알 수 있다.
    A의 말 I'll ask the teacher about this situation.을 통해 선생님께 확인할 것임을 알 수 있다.

02 check it out는 "확인하다, 점검하다"라는 의미이다. 대화 내용상 성적 결과에 대해 확인해 보겠다는 말이므로
    정답은 ①이다.

03 error는 "오류"라는 의미이다. ① 파울을 범하다 ② 문제 ③ 기술

정답 (p134) 01 ①   02 ①   03 ②

(p145) 01 check | out   02 technical error   03 reason

MEMO

333 영어 LEVEL1_3

초판 1쇄 인쇄   2024년 11월 25일
초판 1쇄 발행   2024년 12월 9일

지은이   조정현
발행인   임충배
홍보/마케팅   양경자
편집   김인숙, 왕혜영
디자인   이경자
펴낸곳   도서출판 삼육오(PUB.365)
제작   (주)피앤엠123

출판신고 2014년 4월 3일
등록번호 제406-2014-000035호

경기도 파주시 산남로 183-25
TEL 031-946-3196 / FAX 031-946-3171
홈페이지   www.pub365.co.kr

ISBN 979-11-92431-80-2 14740
ⓒ 2024 조정현 & PUB.365